KB205244

위험한 편의점

945 Presents | The Dangerous Convenience Store

blackD

Contents

Chapter

15

헛소리하지 말고. 일어나, 여의준.

아… 그게….

알아서 들어갈게요….

조금만 더 이야기하다가 가고 싶어요.

…뭐?

거봐. 내가 제대로 데려다주고 갈 테니까 형은 걱정 마.

슥

달칵

어, 이 비서, 밖이야?

네. 잠시 나와 있습니다. 무슨 일 있으십니까?

4

그럼
잠깐 좀 올래?

여기 범 이사님이
어디 좀 가셔야 된다는데,
모셔다드려..

들었지?
곧 올 거야,
타고 가.

꾹

아, 예.
위치 보내주시면
바로 가겠습니다.

......

알아서 해.

어?

자, 잠시만요…!

아저씨!

어… 저기,

저,

화나셨어요…?

…뭐?

제가 생각이
짧았어요.

아저씨에 관련한 일을
다른 사람한테 묻는 것도,

이 자리에 계속
남아 있는 것도…
잘못된 방법 같아요.

아저씨
기분이 좋을 리가
없는데…

……

스윽..

그걸 막으려고 했으면
이 자리에 널
데려오지도 않았어.

그냥,
남아서 묻겠다는 게
네 선택이라면,

그 선택을 막을 권리가
나한테는 없다고
생각했을 뿐이야.

…그럼 정말,
화나신 거
아니에요?

갑자기
나가버리셔서…
놀랐어요.

그래.
화 안 났어.

끼익.

적당히 들어가,
너무 마시지는 말고.

훅

연락할게.

저 형,
화난 건 아니니까
안심해.

…그걸
어떻게 아세요?

전 아저씨가
화난 줄 알고…

형 말은
곧이곧대로 들으면
편하거든.

아니라면 아닌 거고,
그렇다면 그런 거지.

…잘 아시네요.
엄청 친하신가 봐요?

우와…

뭐, 그야.

오 년 정도 하루도 빠짐없이 얼굴 보다 보면 자연스레 알게 되지 않겠어?

…!

하루도 빠짐없이요?

자리 옮기자.

가면서 얘기해줄게.

드라마나 영화에서 본 적 있지 않아?

인사해라.

큰 기업 회장의 아들이

이번에 들어온 신입들이다.

쩌렁

잘 부탁드립니다!!!

쩌렁

?

스윽..

뭡니까.
저놈은.

이런 데 오기엔
너무 어리지 않나.

어리지.
그런데 어쩌겠냐.
받아달라는데.

미친놈인가….

흠.

저놈으로 줘요.

별 도움
안 될 것 같은데.
정말 괜찮냐?

이 늦은 시간에 회사는 어떤 일로 가시는지 여쭤봐도 되겠습니까?

알아서 뭐 하시게. 차 이사한테 일러바치게?

그야… 저도 차 이사님께 보고는 드려야 되지 않겠습니까?

하 하

김 이사 보러 가.

깜짝

!?

그런데. 도대체 어떤 부모가…

자식 이름을 김광우로 지을까.

김 이사는 지가 미친 소라고 불리는 건 아니?

푸흡…

그, 아, 알고 계시지 않을까요….

역시 그렇지.

아차.
웃을 때가 아니지.
그,
…그런데…
저, 차 이사님은
형님이 김 이사님 몰래
올라왔다고 알고 계시는데요.
이렇게 늦은 시간에
어쩐 일로…
알아서 생각해 봐.
…예?
형님?
어떻게 보고할지도
생각해보고.

내가 어릴 땐
좀 그랬거든.

멍청하고 잘 속고,
여기저기 치이고.

그때
형이 많이 도와줬어.

헤헤

그럼 아저씨는

강강약약…
뭐 그런 건가요?

유치하긴 하지만 뭐,
말하자면?

하 하

형은 굳이 가만히 있는 놈들
건드리는 사람은 아니니까.

그렇구나…

그 이야기를 듣고,
순간 안도했다.

아무리 위험한 일을 하는
사람이라고는 해도,
자신의 철칙이 있는 사람이라면…

어쩌면 그렇게 나쁜 사람은
아닐지도 모른다고,
그런 생각을 했다.

영화 속에도 많이 나오잖아.

현실과 영화는 다르다는 걸 알지만 혹시나 하는 마음이—

만지작..

의리를 중시하는 조폭이라던가, 사실은 정의로운 사람이라던가…

……

…아니지.

사실은,

그냥 그렇게 생각하고 싶은 것뿐이다.

그나저나~
건우 형한테
관심이 많네.

단순한 호기심이라기엔
지나치지 않나
싶기도 하고?

어, 그야,
옆집 사시고,

자,
잘해주시니까….

……

……

뭐 하나만
물어도 되나?

아, 네….
뭔데요?

혹시
건우 형 좋아해?

…네?

아, 미리 말하자면 난 게이거든.

남자 좋아해.

…!

그러니까 편하게 말해 봐.

좋아해?

푸욱‥

……

너무 빠른 것 같아서.

아는 것도
무엇 하나 없는데.

나만 휘둘리는 건
분하니까.

이런저런 핑계들을 앞세우며
외면해왔다.

하지만 역시…

쯔욱

네.

좋아해요.

…흠.

어쩐다, 건우 형은
그쪽이 아닌데.

!

형네 집에서
내가 본 여자만 해도
말이지…

뭐, 나이 좀 들고 나서는
안 그러는 것 같지만.

아…….

…역시
그러셨구나….

예상을 못 한 건
아니지만…

…아.

?

저, 그냥
여쭤보는 건데요….

응? 뭔데?

23

어, …형제처럼 친하시다고 하셨잖아요.

그런데 혹시, 아주 만약에

아~주 만약에!요,

아저씨가, 남자랑 사귀는 것도 가능하시다고 한다면…

아저씨한테…

실망… 하실 건가요?

…나부터 게이인데 실망할 건 없지.

다만, 그러면 안 되는 거야.

…네?

24

다시 소개하지.

때가 되면
곧 그만둘 일이라고
형은 항상
말해왔었지만

채현은
사실 내 아들,
차채현이다.

부족한 게 많은 녀석이니
다들 잘 도와주고…

콰!

하아..

하아

하아..

결국 형은
회장을 위해 일했다.

당신의 아들보다도.

그리고 모든 직원들이
그 사실을 알았다.

변변치 않았던
깡패 집단이
몸집을 불리고,
허울 좋은 구색을
갖출 때까지

조직의 창립 멤버로서,
회장이 가장 아끼는 존재로서
자리해온 범건우는

차 회장이 의식불명인
현시점에서
가장 중요한 열쇠이자,

오셨습니까!

실세라고 할 수 있을 것이다.

기다렸습니다.
범 이사님.

오랜만에
뵙습니다.

하하!
아니지.

질투이자,

동경이라고
생각해.

그냥…

형이 일 하나는
참 잘했거든.

오죽하면 아버지가
아들인 나보다도
건우 형을 아꼈을까.

꿈뻑..

그래서 곤란해.
그런 사람이 남자를
좋아한다고 하면.

곤란…이요?

그래~ 그렇잖아?
동경하는 사람
입장에서는.

나랑은 다른,
아버지 기준에 완벽하게
부합하는 존재라고
생각했는데.

……

아….

…얼굴이
왜 그래?

내가 뭐,
이상한 얘기라도 했나?

아, 아뇨!
아무 생각도
안 했어요….

거짓말
못하는구나.

……

무슨 생각했는데,
말해 봐. 괜찮으니까.

36

어, 음,

그게…

저는…

저는 만약 부모님이 저보다 남을 더 사랑하신다면

그리고, 그게 티가 날 정도라면…

저는… 아무리 동경하는 사람이라고 해도, 조금… 많이,

힘들었을 것 같아서요.

…아, 무, 물론
그냥 저 같았으면
그럴 것 같았다는 거였어요!

멋대로 생각하려던 건
아니었…어요.

ㅋㅋ

내가
물어본 건데 뭐.

……

네 말이 맞아.

아버지가 워낙
유별나시긴 했어.

어떤 분인지는
모르겠지만…

언젠가는 생각이
바뀌셨으면
좋겠네요….

그래.

그럴 기회가
있으면 좋겠네.

우리는 그 대화가
마무리되었을 즈음에
자리를 정리하고 일어났다.

약속대로 그는
나를 집에 데려다주었고,

다시 볼 일이
있으려나 싶지만,

잘 지내.

지극히 평범한
작별 인사를 했다.

사람들을 데리고 다닐 땐
그렇게 무서웠는데,

오늘 대화를 나눈
차채현이라는 사람은…

오늘 감사했어요.

형도
잘 지내세요.

전혀 다른 사람 같았다.

꿈뻑..

뒤척...

오늘...
하루가 엄청
길었던 것 같아.

그나저나,
정작 아저씨한테는
좋아한다는 말도
못 했는데…

좋아하지 않으려고
노력했지만…

끄응…

위험한 일을 하는
사람이라지만,
그 사실을 숨긴 적은 없고.

다른 사람이 물어보니까
덥썩 대답해 버렸어….

또 앞으로도 거짓말만큼은
하지 않겠다는 사람을…

도저히 미워할 수가 없는걸.

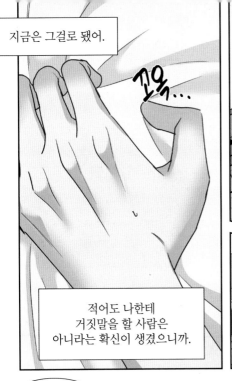

지금은 그걸로 됐어.

꾸욱...

적어도 나한테
거짓말을 할 사람은
아니라는 확신이 생겼으니까.

......

아저씨...
일은 다 끝나셨을까?

전화해볼까…?

꾸물

시간도 꽤 지났는데,
일은 다 끝나지
않았으려나.

…너무
친한 척하는 것
같나?

삑

삑

아니면 너무…
집착하는 것 같다거나….

집착한 적 없음.

아,

아저씨!

일 끝나셨어요…?

…아직.

헉. 죄송해요.
끝나셨을 줄 알고….

나중에 다시
전화 할까요…?

……

……

…아저씨?

저…
나중에 다시
할까요?

그래.

아, 네!!! 알겠어요.
그럼 제가 내일…

뚝—

……

다 안 듣고
끊으셨어….

연지 섭섭…

덜꾸덕

바쁘신가 봐.
곤란하셨으면
어떡하지….

그냥 얼른 자고
내일 연락해
봐야겠다.

…그런데
뭐라고 연락하지?

일단은…
일 잘 끝나셨냐고
여쭤본 다음에…

같이 저녁을
먹자고 해볼까?

저번에 직접
해주신다고 하셨으니,
이번에 말하면
정말 해주실지도 몰라.

그리고
난 알바를 가고…

새벽에 아저씨가
편의점에 오시면 같이
이야기 좀 나누다가…

……

…보고 싶어.

같이 있고 싶어.

좋아한다고
말하고 싶어.

그럼 범 이사님은 저희 손을 들어주실 거라 믿고 있겠습니다.

예. 뭐,

휴우... 확신을 주셔서 감사합니다.

이제야 직원들이 말을 좀 듣겠군요.

무슨 말이 나오든 그냥 계획대로 진행하시면 됩니다.

애들이 말을 안 들어요?

저희야 굴러 들어온 돌들이니... 실정은 범 이사님께서 가장 잘 알고 계시죠.

나아질 겁니다. 이제부터라도 말 좀 잘 들으라고 해두죠 뭐.

검찰 측과 병원 쪽에 요청한 서류도 이번 주 내로 준비가 된다고 합니다.

하하. 다 제가 부족한 탓이니 더 노력하겠습니다.

아 그리고 보니...

조만간 범 이사님이 손쓰시는 데에는 차질이 없을 겁니다.

그럼 그렇게 합시다.

얘기는 잘 끝난 걸로 알겠습니다.

저, 그런데…

오늘 이사님을 모시고 온 직원이 차 이사 밑에 있는 친구라는 말을 들었습니다.

일이 복잡해지는 것은 아니겠지요?

그럴 일 없게 내가 알아서 합니다.

김 이사님 일이나 신경 쓰세요.

…거사를 앞두고
괜한 기우였나 보네요.

그럼
범 이사님만
믿겠습니다.

탁

저
싸가지 없는 놈…

말조심해라.

정말 상식이라곤
통하지 않는 회사입니다.

돈을 아무리 들이밀어도
꿈짝도 안 하더니,

지방에서 놀고먹던 놈 하나
움직였다고 임원진 전체가
술렁이는 꼴이라니…

아직 되도 않는
조폭 근성이
남아 있는 거지.

…하지만 그걸 범 이사가
먼저 제안을 하다니요.

이게 함정이면
저희 다 좆됩니다,
형님.

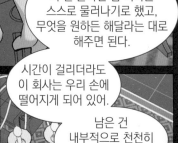

어차피
이 일 끝나면 범 이사는
스스로 물러나기로 했고,
무엇을 원하든 해달라는 대로
해주면 된다.

시간이 걸리더라도
이 회사는 우리 손에
떨어지게 되어 있어.

남은 건
내부적으로 천천히
바꿔가면 될 일이야.

불안한데…
범 이사 거처라도
알아둘까요?

괜한 일 마라.

저자의 심기를 거스르지 않는 쪽이 이기는 싸움이야.

범 이사도 그걸 알고 있으니 저렇게 기세등등할 수 있는 거지.

차 회장이 저질러둔 일이 있거든.

그리고, 우릴 배신할 일은 없을 거다.

…그걸 어떻게 아십니까?

푸

욱

어.

이 새끼···.

이 씹···.

거억···

커억

꽤들···

거···

떱

썩

왝

꽈악

아저씨…

만지적..

여전히 연락이
안 되네….

문자도 보내봤는데
답장도 없고…

너무 보채는 것 같아서
더 이상 연락은
못 하겠어….

자- 과제 잊지 마시고.
다음 시간에 만납시다.

우르르..

흐음….

형.
오랜만이에요.

?

아….

아… 딱히…?
그냥 주말 껴서
못 본 거잖아.

…그…렇긴 하죠.

그런데 무슨 생각을
그렇게 해요?
수업 끝났어요.

괜찮으면
저랑 잠깐 얘기라도…

아… 나 오늘은
컨디션이 좀 안 좋은 것
같아서.

두근두근

얼른 가봐야
할 것 같아.

…네?

저벅

아. 그리고

인사는 하면 받아주려고 했지만.

이제부터는 그냥 인사도 하지 말자.

네 얼굴을 보면 감정만 더 상하는 것 같아서…

미안해.

휴우…
이게 뭐 하는
짓이람…

오늘 하루 종일
핸드폰만
보고 있었잖아.

탁…

곧 퇴근 시간인데…

시무룩…

아저씨는
안 오시려나 봐.

왠지 밉다….

밀어낼 때는 그렇게
불쑥불쑥 찾아오시더니,

고백하고 싶다고
생각하자마자
연락두절이라니.

…설마…

이게 밀당인가…?

나 밀당 당하는 거야…?

……

정말로… 그런… 거라면…

두근

두쿤

두근

두근

내가 직접 찾아가는 수밖에…!

똑 똑

…아저씨.

저 의준이에요.

Chapter

16

그날 아저씨는
만날 수 없었다.

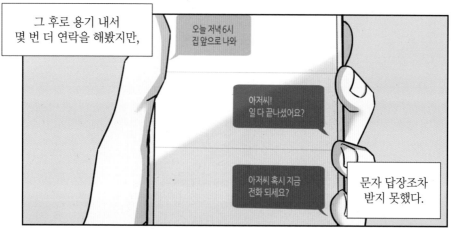

그 후로 용기 내서
몇 번 더 연락을 해봤지만,

오늘 저녁 6시
집 앞으로 나와

아저씨!
일 다 끝나셨어요?

아저씨 혹시 지금
전화 되세요?

문자 답장조차
받지 못했다.

3일이나
못 봤어….

혹시 나쁜 일이라도
생기신 건 아니겠지?

......

버리긴 뭐 해서
여기다 넣어뒀었는데…

…찾았다!

채현이 형
명함!

채현이 형이라면
뭔가 알고 있지 않을까?

아저씨랑 가장
가까운 사람인 것
같으니까….

그래, 그냥….

최근에 연락한 적이 있는지만 묻는 거야. 걱정되니까.

뚜르르ー

뚜르르ー

뚜르르ー

뚜르르ー

달칵

딸랑~

편의점은
여기 하나밖에 없는 것
같은데?

아! 여,
여기 맞아요!

파닥
파닥

안녕하세요!

안녕~
밤늦게 고생하네.

여기까지
안 오셔도 되는데…

섭섭해라~
얼굴은 굳이
안 봐도 된다?

바, 바쁘실까 봐
그렇죠….

어차피 근처였네요.

그나저나 왜 전화했어?

아, 저, 혹시…

아저씨랑 연락되시나… 해서요.

저는 3일째 연락이 안 되던데….

…아아~

…그 형 갑자기 좀 바빴었거든.

너무 걱정하진 마. 곧 집에 도착한다고 해서 나도 근처에 와 있던 거니까.

휴… 그럼 다행이에요. 별일 없으신 거죠?

뭐?

그 형 걱정이 세상에서 제일 쓸데없단다, 의준아.

ㅋㅋ

프핫…

다행이다….

일 끝나고 아직 안 주무시면 찾아가봐야겠어.

그럼 온 김에 나도 커피 하나만 사고 가야겠다.

아, 네! 저쪽에 있어요.

네 네~

지잉-

지잉-

이 시간에 왜 이분한테서 전화가…?

…여보세요?

…네?

?

아, 저, 사장님!

저, 병원에서 급하게 전화가 와서…

정말 죄송한데 오늘 대타 구하고 가볼 수 있을까요?

네? 아, 가, 감사합니다.

정말 정말 죄송해요….

소근
소근
소근

아, 죄송합니다. 바로 계산해드릴게요.

무슨 일 있어? 웬 병원?

…아, 어, 가족이 병원에 있거든요.

얼른 가봐야 해서요.

다행히 사장님이 대타로 바로 와주신다고 해서…

아아….

천 원 결제되셨어요.

그럼 안녕히 가세요!

꿈뻑

데려다줄게.

…네?

급한 거 아냐?

……

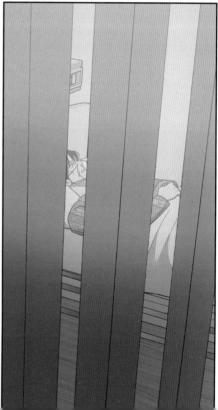

아저씨, 바쁘셨다면서요.
이젠 괜찮으세요…?

…네? 아,

…네.
조금 울었어요.

…저번에 제가 말한 적 있죠?
형이 병원에 누워 있다구요.

이번에 처음으로
발작이 있었대요.

정확히 검사를 해 봐야 알겠지만,
잘못될 수도 있다고 하니까….

……

…네? 지금요?

아, 저 지금
○○병원에 와 있어요.

…네? 아니에요!
안 오셔도 돼요!

사실,
채현이 형이…

뚝-!

……

보호자님~

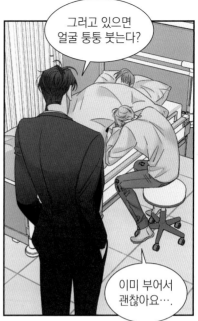

그러고 있으면
얼굴 퉁퉁 붓는다?

이미 부어서
괜찮아요….

검사 결과 문제없다며.
너무 걱정하지 마.

…네에….

끌썩…

잠깐 손 줘봐.

손이요…?

이렇게요..?

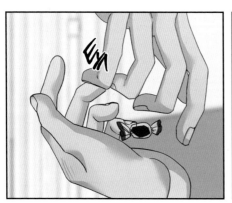

…?

초콜릿이에요?

응. 병원에 너처럼
울고불고하는 어린애가
많나 봐.

안내 데스크에
한가득 있더라고.

……

나가서 바람이나
좀 쐬고 오자.

그런데, 아까
너 안아주신 분은 누구셔?
부모님이야?

아, 아뇨.

저희 병실 공동 간병인이세요.

짜악

자주 봬서 그런지 저도 잘 챙겨주시더라구요. 감사하죠.

부모님은 자주 못 오시나? 바쁘신가 봐?

아… 그게,

…사고로 돌아가셔서….

아아….

…죄송해요.
이런 얘기 듣는 거
좀 그렇죠.

응? 아냐.

피차
마찬가지인데 뭐.

…네?

나도 가족이라곤
아버지 하난데,
이 양반이 지금
오늘내일하시거든.

탁

TV에서 한창
시끄러웠는데.
본 적 없어?

…이번엔
C 회사 소식이 있네요.

C 회장의…….
의식 불명 상태다,
이미 죽었다 등
같은 루머가
돌고 있기는 합니다.

아….

너희 형은 다행히 가망이 아예 없진 않다고 했던가?

우리 아버지는 의사도 거의 포기한 모양이더라고.

뭐, 그냥 마음의 준비만 해놓는 중.

……

그래도…

만지작..

기적처럼 다시 일어나시면 좋겠네요….

…글쎄?

난 잘 모르겠어.

…?

말했었지? 아버지가 나보단 건우 형을 좋아하셨던 거.

그래서인가, 괜히 못된 마음이 드는 거야.

이렇게 속 시원하게
말해본 건 처음이거든.

꼴좋다고.

…!
그, 그럼…

더 말하셔도
괜찮아요!

사실, 어떤 대답을
할 수 있는 건 아니지만,
들어드릴 순 있으니까요.

…너,

건우 형이랑
닮은 구석이 있네.

……

뭐,

만질..

뻔한 얘기지.

아버지 눈에 좀 들어보자고
적성에도 안 맞는 일에
미친 듯이 매달렸었거든.

전부 아버지를 위해
어떻게든
해온 일들인데,

쯧….
덜덜 떠는
꼴이라니.

한심하구나.

막상 그 사람이
죽는다고 하니까…
허무한 거야.

평생 사랑 한번 해준 적 없는 사람, 어떻게 되든 내 알 바인가 싶다가도-

좋은 아들이 될 수 있는 기회가 한 번 더 주어졌으면 좋겠다고 생각하기도 하고.

…그래도 역시

죽진 않았으면 좋겠어.

…뭐, 이런?

뻔하고 구질구질한 이야기.

…응?

표정이 영 아니네.

내가 너무 무거운 얘기를 했나?

…아, 뇨… 그냥…

미안.

전 정말
괜찮아요....

그냥...

형이...

행복해졌으면
좋겠어요.

...!

아니, 지, 지금 형이
불행하다는 게 아니라...

제 말은요,

기쁜 일이 더
많았으면 좋겠다는 말,
이었는데....

......

흐음~

나 이런 타입에
약한데.

…어,

…네…?

……

너 눈
많이 부었다.

왝

!

아, 다시 캔
대고 있을게요…!

그러지 말고.

잠깐 눈 좀 감아 봐.

…네? 왜요…?

눈이 너무 부었잖아.

얼른 감아봐.

……?

…그럼 좀 나아져요…?

손 내밀고.

…아! 알았다.

또 아까처럼 초콜릿 주시려는 거죠?

……

꼬옥

……?

슬쩍..

…형?

수욱一

하아아….

이,

이게
무, 슨…

별로였어?

내가 그래도
어디 가서
빠지는 놈은 아닌데.

…저는,

범건우 아저씨를
좋아해요….

미안.

나도 모르게
들떴었나 봐.

누군가한테
이해받았다는 느낌이
처음이라 그랬나…

고맙다고
했어야 했는데,

바보 같았네.

⋯⋯

누군가에게
이해를 받는다는 것이
얼마나 큰 위로가 되는지,

남들처럼
해야 한다는 생각을
왜 해.

네가 할 수 있는 만큼
하는 거지.

고생했네.

나 역시도
잘 알고 있다.

그래서였을까,
갑작스러운 행동에도
화가 나지 않았다.

…사실,
괜찮은 건
아니지만…

그래도 형이
밉다거나
하진 않아요.

그래?
미워해도 되는데.

많이 실수하고,
많이 사과하고.

나와 닮은 면 때문인지,

또리

또리

왠지 모르게
조금은 알 것 같아서…

사과했으니까
넘어가드릴 거예요.

그러니까

그냥,
친구로서…

심심하면 불러주셔도
괜찮아요.

친구로서?

……

…그래.

곧 채현이 형은
내 기분을 풀어주려는 듯
이런저런 장난을 치다가,

연락할게.

내가 한 번 크게 웃고 나서야
자리를 떴다.

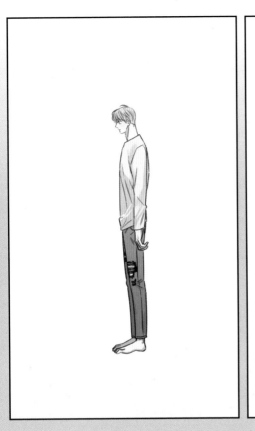

의준아!

…어.

뭐,

뭐야 이게…?

뭐냐니?

…형?

진짜 형이야…?

뭐야~
오래 누워 있다고
형 얼굴도
못 알아보는 거야?

네 형!
여의현이잖아.

…그치만 형은,

병실에…
누워 있었는데….

오늘도,
형 병실에서 분명히…

무슨 소리야.

너희 형 일어났다고
축하 파티 하자더니

네가
잊으면 어떡해?

꿈뻑

스윽..

……

그랬구나…

그래~ 기억나지?
의사도 놀랐었잖아.

특..

기적 같은
일이라고.

그동안 고생 많았어, 내 동생.

이제 형이랑 남들처럼 행복하게 살자.

응….

의준아.

왜 여기서
자고 있어.

…아저씨
기다렸는데…

방수구

뿌석…

깜빡
잠들었나 봐요….

볼 일은.
다 봤고?

문질…

네….
이제 집에
가면 돼요.

아, 맞다. 아저씨.

저 방금요,

아저씨 꿈 꿨어요….

내 꿈?

네… 사실 아저씨만 나온 건 아닌데요,

아저씨도 나와서 너무 좋았어요.

엄청… 행복한 꿈이었거든요….

107

하아…

하아..

아… 맞다.
여기 병원이잖아요….
사람들도
있는데….

뭐 어때.

……

담배 냄새
엄청 나요….

싫어?

Chapter

17

사닥...

......

가자.
데려다줄게.

부우웅—

네 형은.
병원에선 뭐래.

다행히 큰 문제는
없었대요.

걱정 안 해도
된다고…

잘됐네.

…네.

조용~

……

…저어,
아저씨.

왜.

115

그동안 연락도 안 되시고,
집에도 안 계셔서…
걱정했었어요.

많이 바쁘셨던
거예요?

그냥 좀.
일이 있었어.

…아아,

그러셨구나….

그럼,
그동안, 저,

안… 보고
싶으셨어요?

……

꾸욱…

…뭐?

저, 저는….

아저씨가…
너무 보고 싶었,

는…데….

……

두근

두근

두근

두근

…의준아.

네!!

키스. 왜 했어.

…네?

차채현
그놈이랑,

왜 했냐고.

아,

어,

아…

저, 그 그게,

채현이 형도,
저도, 그러려던 게
아니라…

그놈이 뭐건
신경 안 써.

의준아,
난 너한테 묻는 거야.

머리가 하얘지고
말문이 막혔다.

어떻게 말해야
이 복잡한 사실을
오해 없이
전달할 수 있을까,

어떻게 변명을 해야
아저씨가 내게
실망을 하지 않을까.

도대체
어떻게…

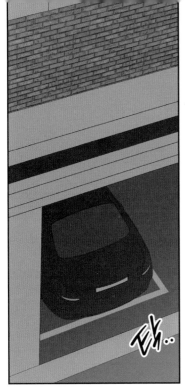

아, 아저씨이…

믿어주세요….

안절부절하라고
물어본 거 아니야.

…네?

간 보란 것도
나였고,

아니다 싶으면
버리라고 한 것도
나야.

네가
눈치 볼 필요 없어.

그냥, 네가 그놈한테
끌린다면…

나는,

…더
기다려보겠다고.

그 말을
하려고 했어.

……

어떻게 이럴 수 있는 걸까.

나는 참
어렵게도 굴었는데

어떻게 아저씨는
너무도 명료하게,
변함없이 좋아한다고
할 수 있는 건지.

저는…

툭 내뱉는 한마디,
어쩌다 한 번 하는 행동.

그 모든 것들이
믿을 수 없을 정도로 다정해서

아저씨가
너무 좋아요….

…아,

으응…

하웃…

으응…

하아…

웃…

…왜 그래.

죄송해서요….

왜, 또 뭐가.

그냥 다….

제가
이런저런 이유들로
밀어냈으면서,

그런 상황까지 보게
만들어버렸잖아요….

…뭐, 사실.

화가 안 난다고 하면
거짓말이겠지만…

네가 좋아하는 건
나잖아.

그거면 돼.

……

흘긋‥

사ㅇㅅ‥

아저씨….

저, 아저씨네 집에서…

자고 가도 돼요…?

저벅

저벅

저벅

저벅

좋아하는 사람과
손을 잡고 걷는 게
이런 기분이었구나.

꼬옥..

분명 잡은 건 손뿐인데,
머리끝에서 발끝까지
저려오는 감각.

다리가 떨려왔지만
애써 태연한 척,
발바닥에 힘을 주어 걸었다.

이런 게 정말
익숙해질 수
있는 거야?

두근

이런 감각이
익숙해진다는 건
어떤 느낌일까?

두근

두근

그런 생각들을
하다가,

이런 걸,

전부 아저씨와
하게 되는 걸까?

상상되지 않는 미래를
상상했다.

심장이
터질 것 같아.

우응...

하웃…!

응…♥

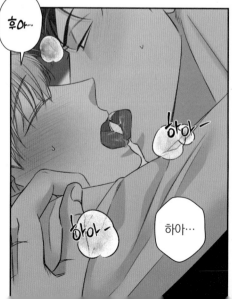

후아…

하아ㅡ

하아ㅡ

하아…

우응…

…아.

아저씨…

아저씨 얼굴,
지금 엄청 빨개요….

……

저는 엄청
떨리는데…

아저씨도
그래요?

…응.

거짓말 같아…

아저씨는 언제나
태연하시잖아요.

나는…

너한테
태연했던 적 없어.

…그럼,

아저씨도 막,

처음 하는 것도 아닌데
설레고,

…어지러울 정도로
두근대고, 그래요?

그래. 설레.

나도 당황스러울 만큼.

아저씨,

좋아해요,

좋아해요….

너무 많이 말하고 싶었어요….

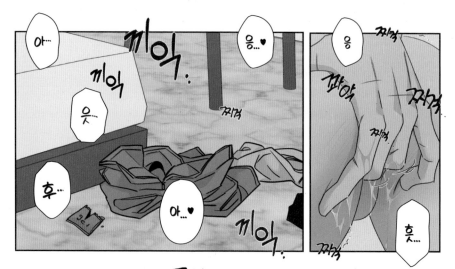

흑!

응…! 흑!

뒤로 좆만 잘 빠는 줄
알았는데,

아, 으으응,

그, 런 말…,

손가락도 잘 빠네,
의준아….

젤을 너무
많이 넣었나, 벌써
싼 것 같다.

이런 거 말고 내 걸
먹어야 되는데…

그치, 의준아….

아…

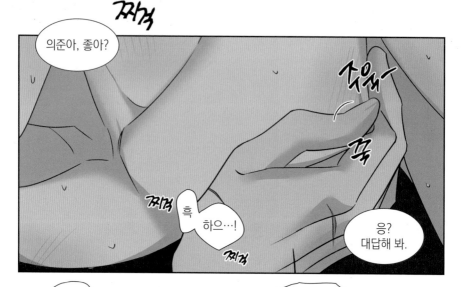

찌걱

의준아, 좋아?

슥윽~

쭉

흑
하으…!

찌걱

찌걱

응?
대답해 봐.

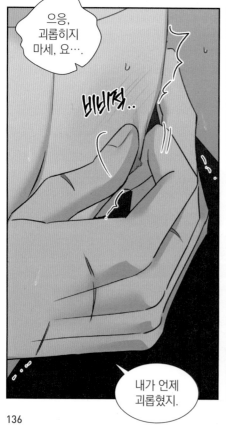

으응,
괴롭히지
마세, 요….

비비적..

내가 언제
괴롭혔지.

자꾸, 이상한 말,
하시면서,

계속,
손가락, 으로만…
하시잖아요….

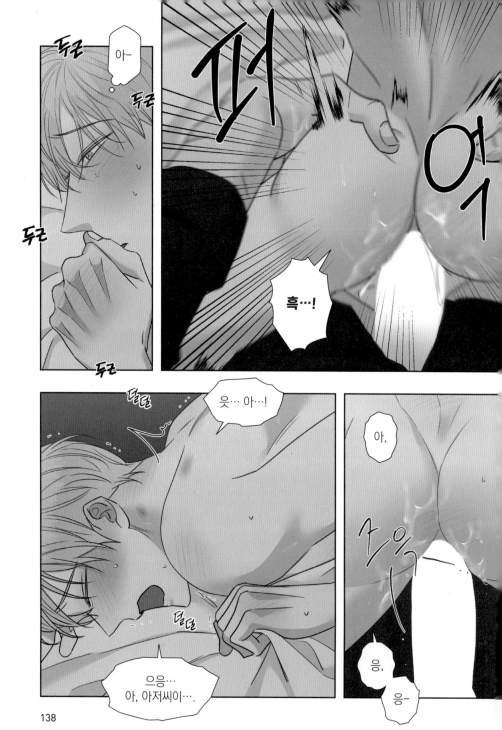

하아, 하…
아저씨이….

…응?

얼굴 보면서…
하고 싶, 은데….

하아….

하아….

안 돼요…?

하아...

ㅅ으악...

그럼...

위에서 하는 거
보고 싶어.

...네!?

네가 내 위에서
스스로 박는 게
보고 싶다고, 의준아....

...!

꿀꺽...

145

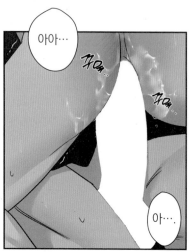

아아…

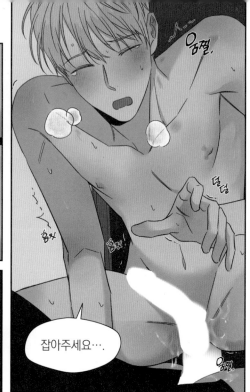

잡아주세요….

손…

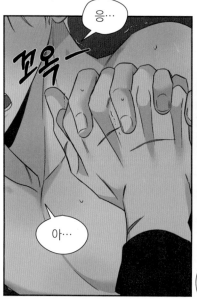

응…

아…

흣, 아…
으응…

아, 안 들어갈 것
같아요….

방금 전에
들어갔던 건데
뭐가 안 돼,
하여간 엄살은….

146

적응이 안 되는 크기란 말이에요….

사랑…

쪽

그래서 좋아하는 거 아니었나?

……

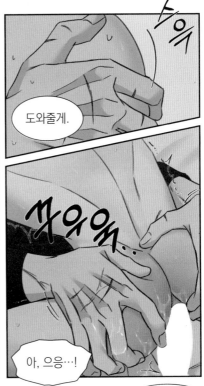

흐응

도와줄게.

쪼오옥

아, 으응…!

하, 으으응…!

움찔

움찔

하아… 저번부터 생각했는데,

하아

사내새끼 엉덩이가 왜 이렇게 말랑거려, 응?

움찔

아야

움찔

움찔

원래 이런가?

아,

흐읏…

쩌걱

쩌걱

모, 모르겠…
아아…!

짜억…

짜억..

평소보다
더 흥분돼서
이상해….

아, 으으,
으응…

거의
다 들어갔어.

아아, 이,
이상, 해요…

이상한 데,
닿는 것 같아…
아… 어떡해요….

여기?

퍼

억

아…!!

모, 못 참았어요….

하아

아, 아저씨 거,

너무 좋아서….

흣…

하아…

하아

하아…

…하아….

하…

스윽

의준아…

151

지금은,

하아….

내가
못 참겠어서….

아…!

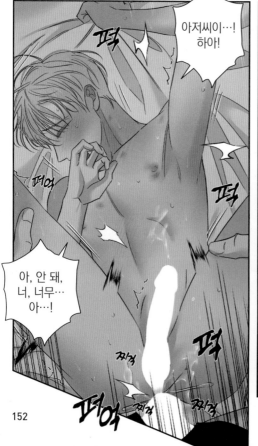

아저씨이…!
하아!

아, 안 돼,
너, 너무…
아…!

윽, 하아,
씨팔…

흑!

아!

152

그,
으응…!

퍽 퍽

퍽

짜격

모, 못 해요,
더 못 해…

힘들어어…
더 안 나와요…

퍼억

덥 썩

하..

안 나오긴…

후우

아…?

흡줏

문질..

헉…!

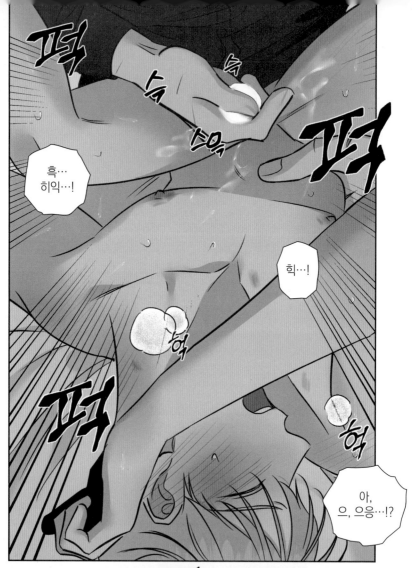

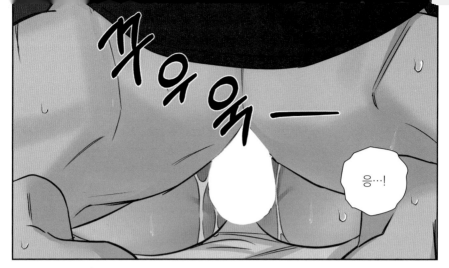

응…!

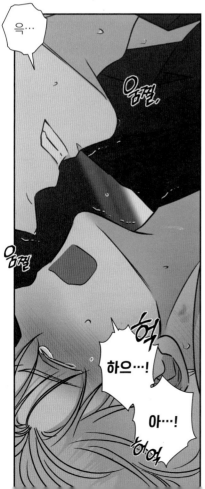

윽…

움찔,

움찔

하으…!

아…!

덜덜

죄, 죄송, 해요,
좋았, 는데,

덜덜

이, 상한, 거,

나왔ㅇ…

괜찮아,
괜찮아…

아아…!

흐윽,

아…,

하아…!

하아…

으응…

하아…

하아…,

아…,

하아‥

…하아아….

하아‥

……

사락‥

아저씨…

……?

저, 아저…

스윽

툭

…어

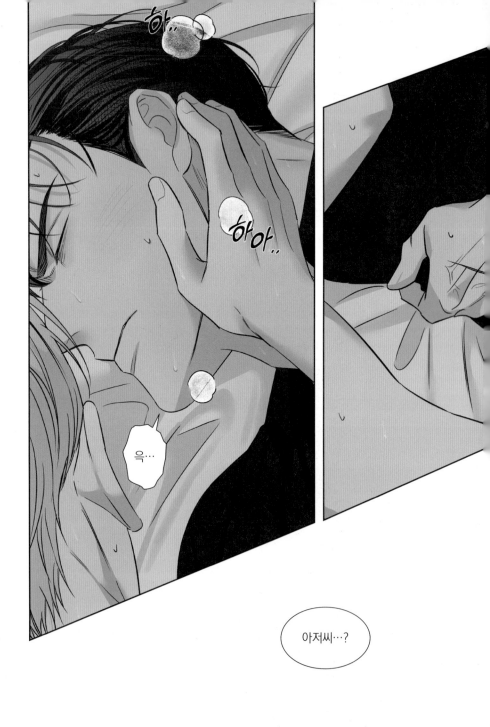

하아…

씨팔….

의준아.

ス익..

…아저씨….

…아,
배에 상처…
괜찮으세요?

병원은…

됐어,
그 정도는 아냐.

…아프면 아프다고, 말을 해야 될 거 아니에요….

꼬옥..

이게 뭐예요…. 어떻게 하면 이렇게 다쳐요….

미안. 걱정시키려던 건 아냐.

……

어쩌다 다치신 거예요…?

말 못 하는 거 알잖아.

……

전부 다, 괜찮다고 생각했어요.

아저씨가
어떤 일을 하든,

아저씨가
어떤 사람이든….

그런데,

이건
아니잖아요….

이래서 연락도
안 되셨던 거예요?

미안.

다신 이런 일
없게 할게.

또,
모호한 말들
뿐이네.

그냥 아저씨를
좋아하고 싶을
뿐인데

왜 이렇게
힘든 걸까.

콜록…

삘떡!

!?

아,
아저씨…?!

…그냥 목이
말라서 그래.

허둥
지둥

아, 물 가져다
드릴게요….

끼익.

냉장고 좀
열게요?

…어어.

…?

아저씨,
술이 너무 많은데…

이거 맨날
편의점 올 때마다
사 가셨던 거 맞죠?

술 안 좋아하신다고
하셨으면서….

아플 땐 절대
드시면 안 되는 거
아시죠…?

까락..

166

…잘 안 마셔.

…네?

그냥 너 보려고
샀던 거야.

구실 만들려고
그랬다고.

너 보려고.

……

......

끅

왜….

너무 답답해요.

그냥, 차라리,

미워할 수 있다면
좋을 텐데,

사락..

끝낸다는 일,
이제 얼마 안 남았어.

이번 주 안으로
다 정리될 거야.

너 걱정할 일 없게
만들 테니까…

다 끝내고…

고백하면,

받아줄래?

꾸욱 ..

서로가 살아온 일상이
너무나도 다를지
모른다는 두려움과

어쩌면 이런 일들이
빈번하게 일어날지도
모른다는 초조함,

여전히 아무것도
말해주지 않는 아저씨.

…위험한 일
하는 거 싫어요.

응. 안 하려고
그러는 거야.

그런데도 도저히,

진짜죠?
거짓말 아니죠?

거짓말 안 한다고
했잖아, 너한텐.

푹...

놓을 수가 없어서…

그저

싫어요….

제가
할 거예요,

고백….

맑기만 한 미래를 생각했다.

…의준아.

!

…아, 으응….

아저씨…

하아…

쪽

왼쪽

쭉

…아,
으응…

먼지막..

…의준아….

끄윽..

하고 싶어.

…!

또요? 아저씨,
아프시잖아요….

이런 건
금방 나아.

……

절대
안 돼요….

싸악

끼익...

대신…

아저씨 거,

짜악..

빨아드릴게요….

그래도 돼요…?

Chapter

18

읍…

음…

응…

으응…

웃…

프하….

안 해도
된다니까.

형편없지.

…별로예요…?

내 좆 빨기엔
입이 너무 작아.

이래서야,

다른 새끼들 건
어떻게 물었는지….

사실,
제대로 해 본 건
아니에요.

딱 한 번,
강요하길래
해 봤는데…

왠지 싫어서….

그치만…
아저씨는,

기분 좋게
해드리고 싶어요.

함짝

열심히
해 볼게요….

ㅈ윽..

핳··

우웅…

이렇게
하는 거,

맞나…?

하아….

…우와

기분
좋으신 건가…?

의준아.

허억

……?

저,
잘 못했어요?

그건 아니고.

끌록..

끌록..

......?

구경이나 해.

하아….

!

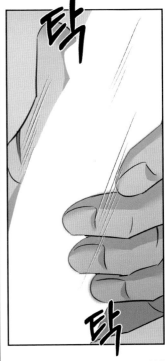

큭…

움찔

쫘쫙

…!!

슬쩍..

…아.

아직.
들어가면 아파.

살그

!

됐다.

쭈욱..

예쁘다,

의준아.

탁…

아저씨 옷…
크다….

핵당~

아저씨가
입었을 때는
딱 맞던데….

줌칠…

아.

주무시네….

오늘 많이
아프셨을 테니까…
피곤하시겠지.

뭐 하니….

!

깨… 깨셨어요?

이리 와.

꼬물

꼬물

…이렇게요?

응.

……

아저씨, 혹시 모르니까 병원 꼭 가세요.

응… 알겠어.

…아저씨, 졸리세요?

왜,

엄청 피곤하시겠죠…?

…왜.

아저씨랑 조금만 더
얘기하고 싶어서…?

그냥 자기
아쉽나 봐요….

뭐가 급해서.

할 날 많잖아.

그럼에도 나는
아저씨가 옆에 있다는 사실이
다른 날과 다르게 새롭고,

마냥 좋아서

그, 그렇네….

잠든 아저씨의 얼굴을
한참 바라보다 잠들었다.

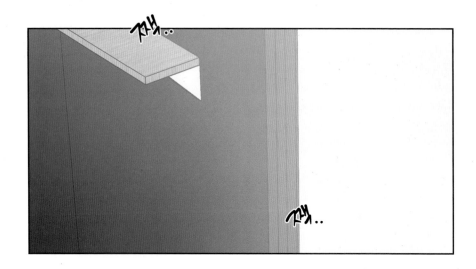

아저씨, 아침 일찍 나가셨네요?

응. 네 말대로 의사도 봐야 되고,

할 일도 있어서.

…아, 다행이다. 꼭 병원 가셔야 해요!

일은 끝내신다는 그 일이에요?

어어. 다음 주까진 바빠서 집에 없을 거야.

…아, 네! 알았어요.

……

꼬옥 ..

저, 그런데… 그럼,

전화…는 해도 돼요…?

......

해주면 좋지.

!

…네!

학교 가시나?

저벅

네! 거의 다
도착했어요.

저벅

학교 끝나면
주연이랑 태영이랑 같이
도서관 갔다가…

재잘

집 와서 자다가,
조금 일찍 일어나서
산책할 거구요,

재잘

갔다와서 씻고
바로 알바 가려구요.

그래.
잘 다녀오고.

…네!

잘 다녀오라니.

두근

두근

꼬옥..

별것도 아닌 말인데
엄청 설레네….

귀가
뜨거운 것 같아

두근

두근

의준아. 잠깐.
나중에 전화할게.

말은 그렇게 했지만,

!

아저씨와 전화를 할 수 있는
기회는 얼마 되지 않았다.

의준아,
잠깐만.

아, 아니에요!
어차피 이제
일해야 돼요.

제가 나중에
다시 연락드릴게요.

삐빅

편의점

삐빅

만이천
오백 원입니다.

담아드릴까요?

아저씨한테 전화할 때마다
너무 바빠 보이셔서
전화하는 게 미안하네….

부스럭…

역시 일이
다 끝나실 때쯤에
전화하는 게 좋겠다.

안녕히 가세요~

말랑~

그러고 보니
요새 편의점도
조용했지….

너무 별일 없으니까
신기할 정도야.

뭔가 오랜만에…

편안한
느낌이 든다.

지잉

?

스윽

아…

지잉

지잉

연락하라고
한 건 나였지만,
아저씨도 그 상황을
보셨다고 하니…

형이랑
연락하는 게
좀 그렇네…

지이…

아. 끊겼다….

…죄송해요. 어제는 전화를 못 받았어요.

뭐가 죄송해. 잘 지냈어?

아, 네. 형은요? 잘 지내셨어요?

그냥 뭐~ 일하면서 지냈지.

그러셨구나….

그…

어제는… 왜 전화하셨어요?

삐빅

삐빅

응? 아~

그냥. 심심해서.

띠 끔

아닌 게
아닌 것 같지만,

뭐, 다른 건
아니고…

너 건우 형
좋아한다고
했잖아.

내가 저지른
일이 있으니까
그러려니 할게.

아, 네….

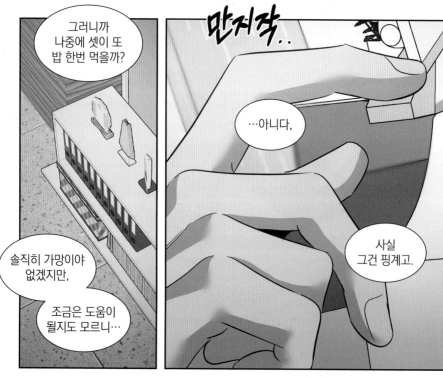

만지작..

그러니까
나중에 셋이 또
밥 한번 먹을까?

…아니다,

사실
그건 핑계고.

솔직히 가망이야
없겠지만,

조금은 도움이
될지도 모르니…

그냥, 그때
엄청 재밌었거든.

…뭐야,
불편하게 생각해서
괜히 미안하네….

…어떡하지,
정말 셋이 만나서
얘기를 해본다면…

똑똑-

?

…이건 너무 안일한
생각인 걸까?

아. 잠깐만.
누가 와서.

209

네에-
들어와요.

조용-

…?

스윽

어떤 놈이야…?

끼익-

!

퍼
억

털
석

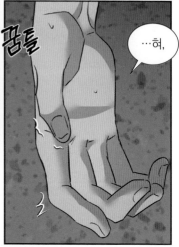

꿈틀

…혀,

꾸룩..

…형?

…나는,
형이

이득..

아… 억…

현아.

설, 마…

형…이,
선택한 게,

이거…야?

형님. 그때 찌르고 튀었던 놈두 잡았는데 하던 대로 처리할까요?

어, 알아서 해.

알겠습니다.

김 이사한테도 다 됐다고 연락하고…

…?

뭐야, 이게…?

뚝-

뭐,

시간이 어떻게,
얼마나 지났는지 모르겠다.

의준아.

나를 현실로
불러온 것은

뚝

똑

아저씨의 목소리였다.

…아,

끼익,

아저씨…?

……

…설마,

일을
마무리 짓겠다는
방법이….

이런,
거였어요…?

…어떻게,

그런….

예전부터 계획된
일일 뿐이야.

네가 알게 할
생각은 없었지만.

그, 그럼
왜…

왜 제가,
채현이 형이랑
이야기하고 싶어
했을 때,

끝까지
말리지도
않고….

네가 하고 싶다는 걸
내가 막은 적이 있었나?

흠칫

…뭐,

뒤처리가 더
번거로워지긴 하겠지.

아무튼 했어야 할 일을
실행했을 뿐이고,

너랑은
관계없어.

저랑은, 관계없을지 몰라도…

채현이 형은 분명, 아저씨와 친형제처럼 지냈다고,

…했는데.

…왜.

그래도 입술 대본 사이라고, 그놈이 걱정되니?

그, 그게 아니잖아요!

…그렇게, 잘 지낸 사람한테,

저는 그게, 이해가…,

도저히…

이해의 용량을 초과한다.

아저씨의 일을 그저
'위험한 일'로 치부했던
것과는 달랐다.

자신의 주변인까지
아무렇지 않게 해치고

태연하게
내 앞에 서 있는
사람을 보는 것은

차가워 보이지만,
다정한 사람이라 믿었었다.

……

너무 어렵게
생각하지 마,
의준아.

하지만 이런 상황에조차
조금의 망설임도 없이,

상식의 범위를
벗어나는 일이었다.

수욱..

덤덤하게 말을
이어가는
아저씨의 모습은

괜찮을 거라고
자신했던 일이 무색해진다.

무서워.

주춤

…저,

아무런 죄책감도
없어 보였다.

오늘은…

…!

헉, 아,

쪼옥

이, 러지
마세…

그만…

뻐긋

아…!

쟁그랑—

의준아.
괜찮아.

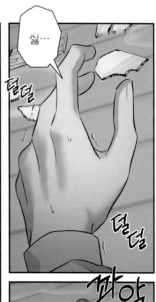

싫…

덜덜

덜덜

하지,

마세…
으,

꽈아악

제발…

…읍,

꽈악

톡

바들

바들

하아…

하아

그, 그만,
하세요….

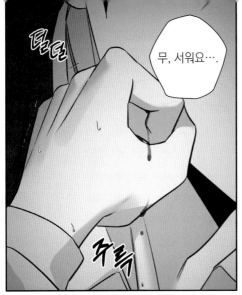

무, 서워요….

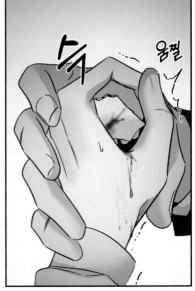

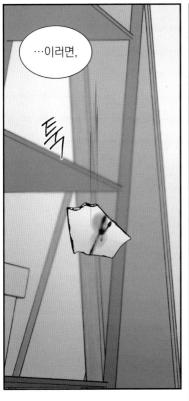

…이러면,

아프잖아.

아저씨를 미워하는 것은
힘든 일이고,

노력해도 되지 않는 일 중
하나일 것이다.

하지만

아저씨와 정말
아무 일도 없던 것처럼

마주 앉아
소소한 대화를
나눌 수 있을까?

즐겁게 웃으면서
햇빛 아래를 걸을 수 있을까?

할 수 없다.

……

의준아.

그럼 내가…

어떡할까.

나는,
이날만 기다리며
살았는데.

꾸욱..

……

나는…

……

......

꾹

스읔

저벅

...!

저벅

꼭 치료해.

......

스윽..

그 뒤로 며칠째

아저씨와 연락이 되지 않았다.

나는 이날만 기다리며 살았는데.

그 말의 의미를 물어보고 싶었다.

처음으로,

범건우라는 사람으로 이어지는 실마리를 잡은 것 같은 예감이 들었기에

조금 더 아저씨의 이야기를 듣고 싶었다.

아, 집주인 아저씨다.

안녕하세요, 오랜만에 뵙네요.

이 집에 무슨 일 있어요…?

그래서 기다렸다.

아아, 이번에 세입자들이 다 나가서 새로 받으려고.

에휴… 이렇게 다들 한 번에 나가버리면 어쩌자고….

아저씨가 돌아오기를.

여의준! 너 요즘 왜 이렇게 정신을 빼고 다녀!

어… 응?
내가 그랬어?

아닌데…?

흐음…

아니긴!
너 뭔 일 있지?

…그리고 보니
너,

그 아저씨랑은 어떻게,
잘되고 있어?

……아,

…!

그게…

우물

주물

잠깐
나 좀 보자.

왜

남…
또 지들끼리
얘기하네…

어, 응?
어…?

237

너, 그 아저씨랑 무슨 일 있어?

그래서 이러는 거야?

아…

……

그 누구에게도 말할 수 없었다.

이해받지 못할 이야기라고 생각했다.

아니야, 그런 거….

중간고사가 있었고

나는 최대한 시험에만
집중하려고 노력했다.

와 미친!
나 코피 나!

공부 존나
열심히 했나 봐!

어제 밤새
게임해서겠지.

푸핫…

239

이제는 없는 번호라는
안내 메시지가 들릴 것을 알고도
습관적으로 전화를 걸었으니까.

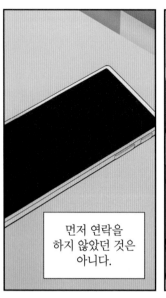

먼저 연락을
하지 않았던 것은
아니다.

벌떡!

안 되겠다.
밥 먹으러 가자!
나 배고파.

밥 먹은 지
얼마나 됐다고?

의준아. 너도
배 안 고프지?

입맛이
없긴 한데…

음…

그럼 간식 같은 거
사 먹을까?

야호!

넌 마음이
너무 약해.

그렇게
시험이 끝나고,

무의식적으로
CIK그룹에 대한 소식을
찾아보던 중

멀쩡한 모습이 찍힌
채현이 형의
최근 기사를 보았다.

아저씨에게 묻고 싶은 것들이
계속해서 쌓여갔지만

어디까지 물어봐도
되는 건지,

어디로 연락을
해야 되는 건지,
애초에 연락은
해도 되는 건지.

이런 생각들을
하다 보니

이제는 아무것도
모르게 되었다.

그날에 대해선
생각하지 않으려고 노력했다.

누구의 잘못인지,
누가 더 실망했는지
일일이 따지고 싶지 않았다.

그때는 당황했었고,
그럴 수밖에 없었다고
되뇌었다.

저벅

저벅

달칵

…!

왜

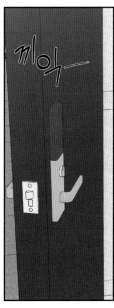

끼익—

어, 나 왔다구?

알겠어,
내려갈게.

사실은

하지만 사람 마음
이라는 건…
정말 제멋대로구나.

아저씨가
보고 싶어.

보고 싶다는 생각조차 하면
안 된다고 생각했다.

여전히 제자리에서
맴돌고 있는
마음과는 달리

결국 아저씨를
밀어낸 것은 나였으니까.

시간은 잘만 흘러갔다.

언제라도
다시 연락이
올 것만 같았다.

팟!

!

혼자 있는 날에는 핸드폰을
붙잡고 멍하게 바라보는
습관이 생겼다.

지이잉~

지이잉~

안녕하세요-
○○보험입니다.

멋대로
실망하는 날들이
반복됐다.

여,
여보세요!?

평소라면
쳐다도 보지 않았을
모르는 번호로 걸려온
전화를 받고

그런 공연한 날들이
이어지는 동안

두둑

계절은 변했다.

두둑

여름이 오고

가을과 겨울을 지나

다시 봄이 되어서야

그제야 나는

내 삶에서 아저씨가
사라졌다는 것을 실감했다.

Chapter

외전

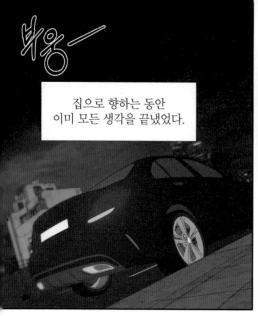

부웅—

집으로 향하는 동안
이미 모든 생각을 끝냈었다.

이건 네가 감당할 수 있는
충격이 아니겠구나.

감당하게 할
생각도 없지만.

분명히 모든 것을
예상하고 갔는데도

날 두려워하는 네 얼굴에
괜한 오기가 생겼다.

이게 아니라는 걸
알면서도

스윽..

그냥 마지막
발악이었다.

추잡하게.

…어차피 선택은
형이 하는 거잖아.
일단 만나라도 봐.

지랄.
선택은 무슨.

그냥 몸으로
봉사나 하라는
소리지.

!

형이 손해볼 게
뭐 있어.

…야. 채현.
이리 와봐.

왜?

또 터졌네.
이 새끼.

아, 하하. 얼굴?
어쩌다 보니
그렇게 됐네.

응?

고마우면
오늘 밥은 네가…

야, 알바.

팡

형님이
시키실 일이
있으시단다.

끼익.

……

아직 어려서 그런지
세상을 몰라도
너무 모르는구나.

하아..

하..

내가 너한테 들인
공이 얼만데

그냥 놔주겠냐,
건우야.

으…

뚝뚝..

따가워…

스윽..

아….

헉 윽…

…!!

허억

뭐, 야…
씨팔

무슨 짓,
이야….

저벅..

너무
놀라지 마라.

정신 좀 차리라고
도와준 것 뿐이니.

그렇게나 베풀었는데
은혜도 모르고 도망갈
생각이나 하다니.

정말
섭섭하구나.

다시
소개하지.

차채현이다.

채현은
사실 내 아들,

차 회장과 차채현의 뜻이
다르다는 건 알았다.

그 정도는

또 아버지가
시키신 일이야? 아니,
대체 무슨 일이길래…

형. 왜 이렇게
많이 다쳤어?

내가 한번 말해볼까?
이런 위험한 일은
시키지 말라고.

바보가 아닌 이상
알 수 있었을 것이다.

스윽..

……

나 걱정해서
그러는 거지?

내가…
조금 더 노력할게,
형.

차채현에게 악감정이
있던 건 아니지만,

……

그렇다고 그것이 걸림돌이
되지는 않았다.

하지만 회사가
급속도로 성장하며

세간의 주목을 받는 차 회장의
뒤를 치는 것은 점점 더
쉽지 않은 일이 되어갔고

지방 놈들이 이제야
말귀를 알아먹는구나.
네가 힘써준 덕분이다.

수고했다,
건우야.

역시 사람 새끼든 동물 새끼든

네가 있어 다행이구나.

목에 칼을 대야 말을 듣는단 말이야.

덕분에 온갖 더러운 일을 도맡았다.

그러는 사이 몸에는 흉터가 증식했고

씨팔. 조폭 새끼가 따로 없네.

어느새 그렇게나 멸시하던 깡패 놈들보다 더한 존재가 되어가는 것 같았다.

차 회장 사망 관련
문서입니다.

잘 처리했니?

예. 검찰이랑 병원 쪽은
김 이사가 미리 찔러둔 덕분에
큰 소란 없을 것 같습니다.

언론에
새 나가는 거
최대한 막고,
계속 확인해.

네.
알겠습니다.

아, 그리고
차 이사는…

피를 너무 많이 흘려서
일단 응급 처치는
해뒀습니다.

우리 쪽에서
시체 만들면
번거롭긴 하지.

…그래.

예. 이후로는 지시하신 대로 김 이사 쪽에 보냈고… 예정대로 진행될 듯싶은데, 계속 보고 드리겠습니다.

지방 쪽 일은. 다 정리됐나?

요즘 통 연락을 못 해서.

예, 걱정 마세요. 건물만 정리하면 끝납니다.

잘했네.

바락…

스윽…

저, 형님.

왜.

…일 그만두시면, 다들 섭섭해할 겁니다.

씨팔, 하든 말든.

하하…

아무튼,

그동안
고생 많으셨습니다.

......

이상하다.

드디어 지긋지긋한
굴레에서 벗어난다.

그리고 오늘,
기어이 그날이 왔는데

그토록
다다르고 싶었던 종착지가
바로 눈앞에 있었고

분명
이 날만을 위해
살아왔다.

허무했다.

스윽..

마지막으로 무언가를
원해본 적이 언제였더라.

여자도, 살 곳도,
해야 할 일도

빌어먹을 노인네가
정해주는 대로만 살았다.

그렇게 살다

처음으로 선택한 것이
너이기 때문인가.

더는 변명인지 목표인지
알 수 없는 복수가 끝이 나고

속에서 들끓던
추한 감정마저
가시고 나자,

내 머릿속엔

너밖에
남지 않은 듯했다.

스으..

김 실장.

예?

차 이사 실어 보낸 차,
어디까지 갔니.

…10분 안으로
김 회장 측에
도착할 겁니다.

……

차 돌리자.

어쩌면 위로마저
했을지도 모르지.

내가 변명했다면,
너는 들었을 것이다.

바드락..

그러나 나는 너에게
내가 짊어지고 있던 나의
과거를 말할 생각도,

너로서는
감당하기 힘든 사실들을
억지로 알게 할 생각도 없다.

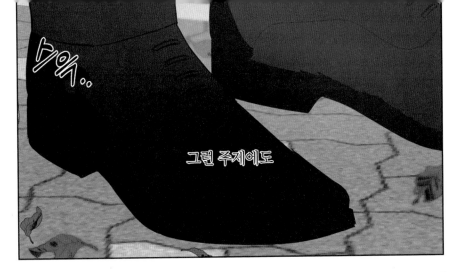

그런 주제에도

다시 한번 웃는
네 얼굴이 보고 싶다면,

뭐든
해봐야겠지.

그럴 만한 가치가 있는지를
생각할 필요조차 없었다.

내가 흘리는 피까지
무감해진 지 오래인데

겁에 질린 시선쯤이야
질리도록 받으며 살아왔으면서

네 손에서 흐르는 피를 보며
왜 내 숨통이 죄어왔는지

구태여 생각할
필요도 없이

그날 밤 너의 그 시선에는
왜 등골이 서늘해졌는지

지나치게
명확한 것.

너는, 내 모든 걸 지워내고

그 자리에 남은

내 유일한 가치였다.

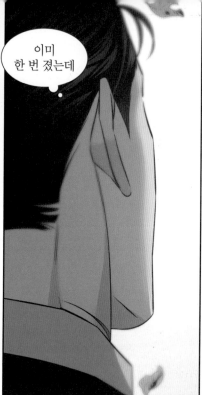

이미
한 번 졌는데

두 번은
어렵겠나.

위험한
편의점

초판 1쇄 인쇄 2023년 7월 18일
초판 1쇄 발행 2023년 7월 31일

글·그림 945
펴낸이 정은선

책임편집 이은지
본문 디자인 (주)디자인프린웍스
표지 디자인 URO DESIGN

펴낸곳 (주)오렌지디
출판등록 제2020-000013호
주소 서울특별시 강남구 선릉로 428
전화 02-6196-0380 **팩스** 02-6499-0323

ISBN 979-11-7095-004-2 07810
       979-11-92674-04-9 (세트)

ⓒ 945

* 잘못 만들어진 책은 서점에서 바꿔드립니다.
* 이 책의 전부 또는 일부 내용을 재사용하려면 사전에 저작권자와
(주)오렌지디의 동의를 받아야 합니다.

www.oranged.co.kr